Les belles vieilles demeures du Québec

Collection Beaux-Arts
dirigée par Serge Joyal

P. Roy Wilson

Les belles vieilles demeures du Québec

Préface de Jean Palardy

Collection Beaux-Arts

Cahiers du Québec/Hurtubise HMH

Le Conseil des Arts du Canada a accordé une subvention
pour la traduction et pour la publication de cet ouvrage.

Traduction de l'anglais par
Carol Dunlop-Hébert

Dépôt légal/4e trimestre 1977
Bibliothèque Nationale du Québec
Bibliothèque Nationale du Canada
ISBN 0-7758-0146-1

Maquette de la couverture:
Pierre Fleury

Éditions Hurtubise HMH, Ltée
380 ouest, rue St-Antoine
Montréal, Québec
H2Y 1J9
Canada

Sommaire

Préface

Je suis très heureux d'avoir l'occasion d'écrire cette préface à l'ouvrage de Roy Wilson, non seulement parce que je considère l'auteur comme un ami, mais aussi et surtout parce que le travail de recherches et d'études qu'il a fait, et qu'il continue de faire, dans un domaine qui me tient à cœur, m'inspire du respect et de l'admiration. Le titre qu'il a choisi place d'emblée la maison québécoise dans le domaine des choses belles et la préservation de cette beauté fait partie de mes soucis constants. En effet, j'ai la certitude qu'il est essentiel pour notre pays que nous prenions conscience de la nécessité de sauver ces témoins de notre passé et de notre civilisation. D'autre part, qui pourrait demeurer insensible à la grâce d'une belle maison ancienne traditionnelle aux proportions harmonieuses?

Depuis de nombreuses années déjà, je suis à même d'apprécier les dessins, les aquarelles, les plans et élévations des anciennes maisons du Québec que Roy Wilson a exécutés inlassablement et patiemment; il a fait là une belle œuvre, inspirée par son amour de l'architecture ancienne de notre pays. L'architecte, qu'il est lui-même, a été charmé par le sens inné des proportions que possédaient nos bâtisseurs, nos charpentiers, nos maçons d'antan. Il suffit de faire un tour dans l'île d'Orléans ou à la Côte de Beaupré et d'y examiner les belles façades des vieilles maisons pour comprendre son enthousiasme. En dépit d'une certaine assymétrie, par exemple: portes non centrées, fenêtres à distance inégale les unes des autres, l'ensemble en est ravissant et cette assymétrie, au lieu de déparer les façades, rehausse au contraire leur originalité et ajoute à leur charme. Rares sont les architectes d'aujourd'hui qui oseraient se risquer à dessiner une façade avec autant d'invention et de liberté. Les anciens dominaient suffisamment leur métier pour ne pas avoir à se soumettre à des impératifs trop stricts, d'autant plus qu'il s'agissait dans la plupart des cas de demeures simples. Pour ces bâtisseurs de maisons traditionnelles, le nombre d'or pouvait être un guide, il n'était jamais un maître inflexible. Le résultat prouve qu'ils avaient raison.

Roy Wilson a commencé à rassembler une documentation importante sur nos maisons paysannes alors qu'il n'était encore qu'un simple étudiant en architecture. Pendant de nombreuses années, il a passé l'été à parcourir la province dans le but de mesurer les maisons anciennes, de les dessiner et de noter les détails caractéristiques de leur construction. Un grand nombre de ses relevés à l'échelle ont été déposés aux Archives Publiques du Canada où ils peuvent être consultés par les chercheurs ou les amateurs.

De 1930 à 1943, Roy Wilson a été chargé de cours à l'école d'architecture de l'Université McGill, alors que le professeur Ramsay Traquair en était le directeur. Pendant cette période, il accompagna fréquemment ses étudiants dans leurs randonnées d'été dans les régions de Montréal et de Québec et sur les deux rives du bas du fleuve Saint-Laurent. Il les aidait et les conseillait dans des travaux pratiques qui faisaient partie de leurs études: le tracé des plans et élévations d'églises, de couvents, de maisons et autres bâtiments anciens et traditionnels. Au surplus, l'aménagement intérieur était étudié parallèlement.

De 1938 à 1940, en collaboration avec Clarence Gagnon, artiste-peintre canadien de renom, il a exécuté une maquette d'un village québécois qu'il est possible de voir encore aujourd'hui, quoique mutilée au Musée de Vaudreuil. Cette maquette représentait un village ancien dont la construction avait été prévue sur le mont Royal, mais qui, hélas, n'a jamais été réalisée. Je garde l'espoir que ce projet se concrétisera un jour, car il en vaut la peine.

Les illustrations contenues dans cet excellent livre ne représentent qu'une infime partie de la documentation accumulée par son auteur au fil des années. Elles donnent cependant une image d'ensemble de l'architecture ancienne et traditionnelle du Canada français, toujours inspirée des provinces de France.

Je souhaite à ce livre tout le succès qu'il mérite. Il permettra à tous les amateurs de vieilles maisons d'approfondir leurs connaissances en la matière et, si grâce à cette œuvre, quelques demeures anciennes échappent à la destruction ou à la mutilation, l'auteur aura largement atteint son but.

Jean Palardy, O.C.

Introduction

Belles: c'est le mot qui importe ici. Durant des siècles, les bâtisseurs ont accordé autant d'importance au beau qu'à l'utile; mais aujourd'hui, à l'âge de la machine, les édifices gigantesques assemblés d'immenses blocs préfabriqués, aux arêtes nues, font que les façades ressemblent singulièrement à des pièces de tissu uniformes, toutes coupées sur le même patron: souvent la beauté n'est que la grande absente. Le rendement à courte échéance prime tout.

Loin de moi l'idée d'insinuer que les bâtisseurs des vieilles maisons du Canada français ne se souciaient pas de l'efficacité et de la dépense! Bien au contraire, ces deux facteurs étaient primordiaux. Les gens d'alors étaient pauvres, d'après nos normes: la vie sur la ferme était frugale, et les premiers cultivateurs ne pouvaient se permettre le moindre luxe. Tout était fabriqué sur les lieux, à l'exception des vitres. Les lourdes poutres étaient taillées à la hache et l'on sciait les planches à la main. La charpente du toit était assemblée à tenons et mortaises, puis fixée au moyen de grandes chevilles de chêne. Les clous étaient rares, et forgés à la main, tout comme les gonds, les loquets et les loqueteaux des volets. On taillait les bardeaux de cèdre à la hache, et les murs étaient ordinairement de pierre des champs.

Au sujet des murs, la croyance populaire veut que les

premières maisons canadiennes aient été construites en bois rond, dont les coins étaient enclavés, mais c'est faux. Les colons normands ignoraient jusqu'à l'existence de la cabane en rondins. Ce sont les Scandinaves venus plus tard qui ont apporté cette technique. Les premiers colons, originaires de Normandie, ne connaissaient que le colombage pierroté, colombage dont l'entre-deux est rempli de pierres et de mortier, et la construction en pierre brute, dont ils disposaient en quantité plus que suffisante, surtout dans les régions où il fallait l'enlever pour rendre les champs cultivables. Ne disposant pas de ciment, les premiers bâtisseurs se contentaient d'un mortier à la chaux qui n'avait pas grand-résistance. De tels murs devaient être extrêmement épais, puisque leur degré de stabilité dépendait de leur seul poids. Il existe des preuves de l'existence de bâtiments à colombage pierroté en Nouvelle-France dès 1644, mais comme ce système de charpente résistait mal au climat canadien, il ne nous en reste pas d'exemple important.

Bon nombre de maisons de pierre semblent à première vue être entièrement ou partiellement de bois. Cette illusion est le résultat indirect du manque de mortier de ciment. Sans revêtement de bois, les murs extérieurs s'imbibaient d'eau de pluie, gelaient, et éclataient. Les cheminées même, particulièrement exposées aux intempéries, devaient être recouvertes de bois, matériau pour le moins surprenant là où il est question de feu. Cela explique sans doute la présence de l'échelle généralement fixée au toit, prête à servir immédiatement en cas d'incendie. Il va sans dire que masquer un beau mur de pierre avec des planches grises diminue quelque peu son caractère monumental.

J'ai déjà dit que les murs de pierre devaient être épais pour durer. Par ailleurs, il ne fallait pas qu'ils soient trop lourds au haut. Les murs et les cheminées étaient donc bâtis en talus, c'est-à-dire inclinés vers l'intérieur au fur et à mesure de la construction, en général à un degré et demi à la verticale.

La forme des premiers toits était empruntée à l'architecture normande. Le style pavillon, très français d'origine, accusait une forte pente à l'avant et à l'arrière, et les versants latéraux étaient encore plus aigus. Un léger galbe apparaissait dans la chute du toit vers les larmiers et les extrémités du faîte étaient garnies de fleurons simples en bois. La saillie des premiers larmiers n'était que de neuf à douze pouces. Le style pavillon s'avéra très populaire, sans doute à cause de son élégant caractère pyramidal. La pente aiguë du toit s'accentua par la suite, à tel point que dans certains cas, par exemple la maison Alexandre Gendreau à Saint-Laurent de l'île d'Orléans

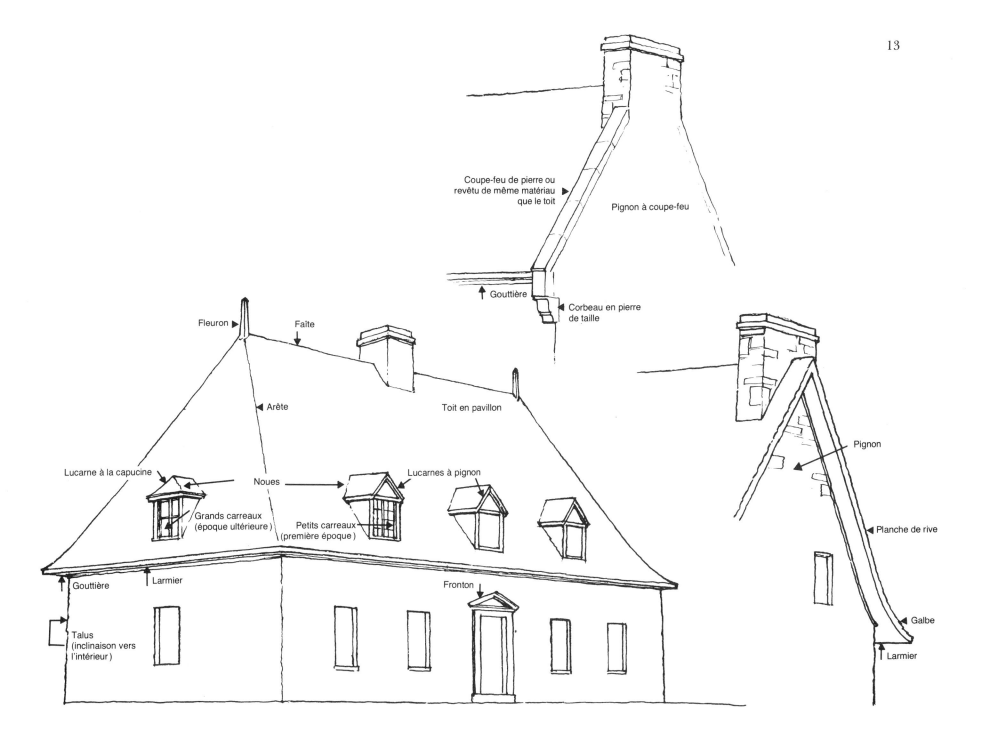

Coupe-feu de pierre ou revêtu de même matériau que le toit ▶

Pignon à coupe-feu

▲ Gouttière

Corbeau en pierre de taille ◀

Fleuron ▶

Faîte

Arête ◀

Toit en pavillon

Pignon

Lucarne à la capucine

Noues

Lucarnes à pignon

Grands carreaux (époque ultérieure)

Petits carreaux (première époque)

Planche de rive ▶

Gouttière

Larmier

Fronton

Talus (inclinaison vers l'intérieur)

Galbe ◀

Larmier

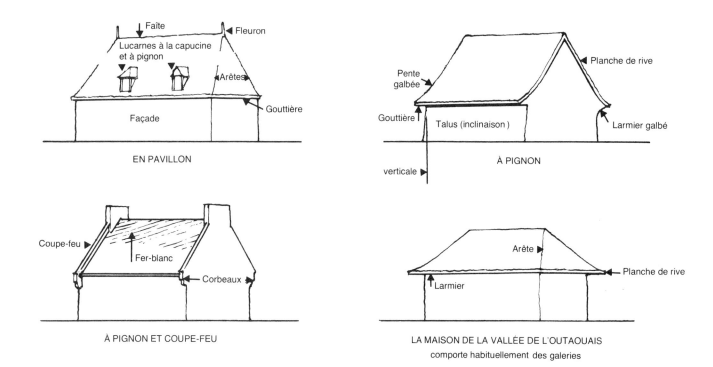

Faîte

Fleuron

Lucarnes à la capucine et à pignon

Arêtes

Façade

Gouttière

EN PAVILLON

Pente galbée

Planche de rive

Gouttière

Talus (inclinaison)

Larmier galbé

verticale

À PIGNON

Coupe-feu

Fer-blanc

Corbeaux

À PIGNON ET COUPE-FEU

Arête

Planche de rive

Larmier

LA MAISON DE LA VALLÉE DE L'OUTAOUAIS
comporte habituellement des galeries

LES QUATRE TYPES DE TOIT

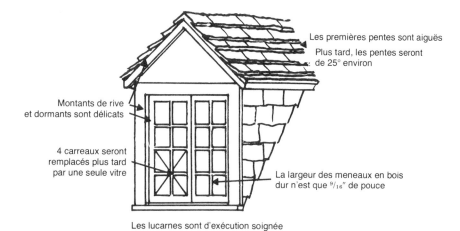

Les premières pentes sont aiguës

Plus tard, les pentes seront de 25° environ

Montants de rive et dormants sont délicats

4 carreaux seront remplacés plus tard par une seule vitre

La largeur des meneaux en bois dur n'est que $9/16''$ de pouce

Les lucarnes sont d'exécution soignée

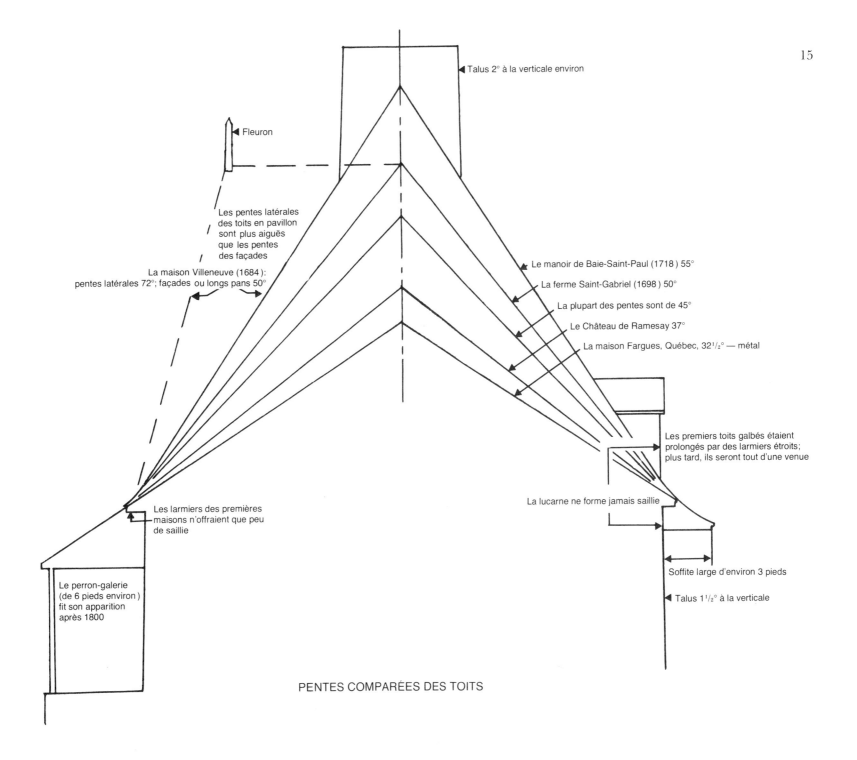

Talus 2° à la verticale environ

Fleuron

Les pentes latérales des toits en pavillon sont plus aiguës que les pentes des façades

Le manoir de Baie-Saint-Paul (1718) 55°

La maison Villeneuve (1684): pentes latérales 72°; façades ou longs pans 50°

La ferme Saint-Gabriel (1698) 50°

La plupart des pentes sont de 45°

Le Château de Ramesay 37°

La maison Fargues, Québec, 32½° — métal

Les premiers toits galbés étaient prolongés par des larmiers étroits; plus tard, ils seront tout d'une venue

La lucarne ne forme jamais saillie

Les larmiers des premières maisons n'offraient que peu de saillie

Soffite large d'environ 3 pieds

Le perron-galerie (de 6 pieds environ) fit son apparition après 1800

Talus 1½° à la verticale

PENTES COMPARÉES DES TOITS

(p. 68), elle atteignait presque la verticale, pour former, en fait, des pignons talutés, dans lesquels les trois fenêtres des lucarnes se dessinent en bas-relief. (Ces lucarnes ont sans doute été ajoutées à une date ultérieure, puisque les premières maisons n'en comportaient pas.)

Le style comble sur pignon, contemporain du style pavillon, convenait mieux aux villes où les maisons étaient contiguës. De plus, on pouvait ajouter des cheminées latérales et prolonger le larmier. Alors que les cheminées ont meilleure apparence au faîte quand il s'agit d'un toit en pavillon, il est plus logique de les placer dans les murs latéraux d'une maison à pignon de pierre. De telles cheminées gagnèrent en popularité, jusqu'à atteindre, au château de Ramezay (une maison ayant deux fois la profondeur ordinaire et dont les pièces sont disposées de côté et d'autre d'un mur central longitudinal), des dimensions équivalant aux trois quarts de la largeur de la maison elle-même. Des cheminées d'importance donnent à une habitation une apparence solide et chaleureuse; les cheminées latérales des maisons de ville étaient fort admirées. On retrouve parfois la coutume française de poser des fleurons au faîte des combles du toit en pavillon pour des raisons purement esthétiques, dans le cas de la maison à comble sur pignon, comme en témoigne la petite maison de Saint-François (p. 46). Ces fleurons devinrent même quelquefois de fausses cheminées, en fait des boîtes de bois. On peut encore en voir plusieurs à l'île d'Orléans.

Le larmier devint de plus en plus large, car on se rendait compte des avantages d'une saillie prononcée; non seulement protégeait-elle davantage le mur au-dessous contre les intempéries, mais elle protégeait aussi les pièces du soleil ardent de l'été, tout en laissant pénétrer le pâle soleil d'hiver. Du point de vue esthétique, l'ombre profonde projetée par le larmier élargi était agréable à l'œil, surtout quand elle se découpait par une journée ensoleillée sur un mur blanchi à la chaux. De même le galbe des chevrons inférieurs, même s'il ramassait la neige, était d'une grande beauté quand il s'intégrait à une courbe parabolique. Certains bâtisseurs particulièrement zélés allèrent jusqu'à poser des chevrons courbés sur toute la pente. La maison Ulric Drouin (p. 72) en est un exemple superbe. Un tel travail exigeait infiniment plus de soin que de simplement fixer les chevrons inférieurs sur un coyau galbé, et révèle l'attachement que portait l'humble cultivateur aux belles choses.

Le détail architectural suivant à être adopté fut le pignon en coupe-feu de la mère patrie. En 1721, la moitié de la ville de Montréal était détruite par le feu. Un incendie y fit de nouveaux ravages en 1734 et rasait un tiers des maisons. On passa alors une loi destinée à prévenir la propagation des incendies par les toits. Une loi semblable était en vigueur à Québec depuis 1673. Les murs latéraux de toute maison contiguë à une autre devaient dorénavant s'élever à dix-huit pouces au-dessus du toit. Cette mesure, déjà courante en France et en Angleterre, s'implanta dès lors, même dans les communautés rurales du nouveau pays. Les fermiers, ayant constaté que les belles maisons neuves des villes étaient agrémentées de coupe-feu, se mirent à imiter l'architecture urbaine, sans aucune justification puisqu'il s'agissait la plupart du temps de maisons isolées. En fait, le toit risquait de couler quand il prenait appui contre le mur de pierre latéral au lieu de le recouvrir, comme auparavant. Il y avait d'autres inconvénients. La saillie du larmier ne pouvait mesurer plus d'un pied comme dans le cas du style pavillon, car elle devait about la partie inférieure du pignon en coupe-feu. De plus, l'élévation du mur devait s'appuyer sur un ou deux corbeaux moulés en pierre de taille, qui coûtaient très cher. C'est le cas de la maison Lebeuf ou Charest (p. 96) dont le perron-galerie a été ajouté plus tard.

Le perron-galerie retint ensuite l'attention du bâtisseur des campagnes. Nous avons vu que l'usage des larmiers profonds se répandit, pour plusieurs raisons. Leur importance s'accentua jusqu'à nécessiter leur soutien par une rangée de poteaux. Apparut alors un perron-galerie, large de six pieds environ, garni d'un plancher de bois où le cultivateur pouvait se bercer ou se détendre en compagnie de ses voisins. On le vit d'abord sur les façades ou à l'arrière des maisons, puis on le prolongea le long des murs de côté. Il fallait alors revenir au toit en croupe à quatre versants. Sa pente étant moins prononcée que celle du toit en pavillon, cela lui donnait une élégance de ligne semblable à celle du toit du perron-galerie. Ainsi naquit une longue courbe gracieuse, et le toit de « la vallée de l'Outaouais ».

Les mérites de ce style sont douteux. Un toit surplombant de sept pieds toutes les fenêtres ne peut qu'assombrir les pièces. De plus, la neige fond sur les parties supérieures du toit, lesquelles sont chaudes, puis, en s'écoulant sur le toit moins bien défendu du perron-galerie, se transforme en glace. Cette glace constitue, par la suite, un obstacle à l'écoulement des eaux qui refluent alors sous les bardeaux, causant des dommages. Moins l'angle du toit est accentué, plus les risques de dégâts sont grands.

Après avoir relevé les quatre types principaux d'architecture québécoise, examinons maintenant les détails de sa construction, dont le plus remarquable et le plus important est la charpente du toit. Les premiers colons s'assuraient de la solidité de leur toit. Le fermier-constructeur moderne omettra même la poutre de faîte; anciennement, elle reposait sur une ferme bien ancrée de cinq pieds de profondeur composée de poutres équarries, assemblées à mortaises et tenons et emboîtées l'une dans l'autre, qui allaient d'un pignon à l'autre. Des poteaux faisant corps avec cette armature s'étendaient parfois vers le bas pour former le poinçon des armatures latérales, qui s'appuyaient par cornières aux sablières avant et arrière. Des chevrons, d'environ cinq pieds au plus sur les cintres, taillés en sections de cinq pouces par cinq pouces, reliaient des sablières à la partie supérieure de l'arbalétrier central. Les larges poutres, équarries à la hache, et de dimensions bien étudiées, donnaient une charpente tellement solide que, encore aujourd'hui, le toit est à peine touché, même lorsqu'on enlève quatre des six cornières de l'armature latérale — c'est le cas de la maison Hurtubise (p. 32) achetée et restaurée par la société Héritage canadien du Québec après 270 ans. La charpente de certains toits en pavillon était longitudinale, et celle d'autres habitations plus grandes, telle la maison Trestler à Dorion (p. 62), ne l'était pas.

La disposition des fenêtres avait une grande importance. La maison idéale comportait une façade symétrique: la porte bien au milieu, encadrée de chaque côté de fenêtres percées à intervalles réguliers. Dans bien des cas, cependant, et plus particulièrement dans le cas des maisons de ferme de l'île d'Orléans, où les remises à voitures étaient souvent intégrées au corps de la maison, il n'était guère possible d'atteindre une telle symétrie. La disposition des autres fenêtres du rez-de-chaussée semblait généralement fortuite, mais il y avait une certaine recherche de l'uniformité tant pour les châssis que pour les carreaux. Des vitres, toutes de la même grandeur, même dans des cadres de dimensions diverses, ajoutent à l'harmonie de l'ensemble. Les petits carreaux, au nombre de douze par fenêtre en général à l'origine, furent remplacés plus tard par trois grands carreaux. Rares étaient les premières maisons ornées de lucarnes: l'étage inhabité servait le plus souvent à entreposer les grains, d'où le mot grenier. Mais, la famille s'accroissant avec le temps, l'on convertit le grenier en chambres, qu'on éclaira par des lucarnes. Le nombre même de lucarnes changea au cours des ans. Deux au début, comme dans la maison Villeneuve à Charlesbourg (p. 30), puis trois plus tard. Les trois lucarnes de la maison Simon Fraser à Sainte-Anne-de-Bellevue (p. 120) donnèrent place à quatre. Le toit comptait parfois deux étages, donc deux rangées de lucarnes, celles du bas étant généralement plus grandes que celles du haut, ce qui indique bien leur plus grande importance. Les lucarnes étaient en général régulièrement espacées, non seulement à cause de l'espacement régulier des chevrons sur lesquels elles reposaient, mais parce que cette disposition était harmonieuse. La forme réussie d'une maison n'exige pas que les lucarnes soient centrées sur les fenêtres du rez-de-chaussée, dans la mesure où elles sont placées avec goût et à condition que le larmier offre une large saillie. Peut-être l'avancée du toit de la lucarne pèse-t-elle plus lourd dans la balance esthétique que le besoin de symétrie dans les autres fenêtres. Les vieilles lucarnes se distinguaient par la finesse du détail: larmier et montants étroits, châssis léger. Beaucoup de versions contemporaines de la maison québécoise perdent tout leur charme à cause de lucarnes massives, sans grâce.

Quand la maison comptait deux étages ou plus, on cherchait à disposer les fenêtres les unes au-dessus des autres, comme dans les châteaux de France dont les plans étaient dessinés par des architectes. Dans le pignon des murs, on essayait aussi d'obtenir des fenêtres symétriques, parfois on n'en perçait pas. Au rez-de-chaussée, les fenêtres étaient souvent garnies de volets. Non seulement offraient-ils une protection contre les voleurs, les attaques des Indiens et la chaleur du jour, mais plus tard,

ils seront peints de couleurs gaies, couleurs pour lesquelles les Québécois, en général, avaient un goût très vif. En outre, les loqueteaux à double spirale en fer forgé, en plus d'être fonctionnels, étaient très beaux.

À l'origine, les toits étaient recouverts de bardeaux, mais plus tard, afin d'éviter que des étincelles tombant sur le toit ne provoquent un incendie, on adopta un recouvrement de feuilles de métal. Ces feuilles de fer-blanc, de dix pouces par douze environ, étaient posées à 30 degrés à l'horizontale, de sorte que la pluie dégouttait de la pointe d'une feuille pour tomber sur le dessus de l'autre. La légende veut qu'on aplatissait les boîtes de fer-blanc qui contenaient le thé, le bœuf de conserve, et d'autres aliments importés pour obtenir ces feuilles. Imparfaitement étamées, la rouille les attaquait d'abord légèrement — ce qui leur donnait de loin un ton doré — puis les rongeait jusqu'à détruire leur belle apparence et leur imperméabilité, de sorte qu'il fallait les peindre.

Avec le temps, les maisons devinrent de plus en plus raffinées. La façade de maçonnerie de pierre de taille devint populaire, même à la campagne, et certains, qui ne pouvaient se permettre le luxe de la pierre de taille, recouvrirent l'extérieur de leurs maisons de planches aux coins taillés en biseau pour imiter la pierre. Quelques habitations étaient presque fastueuses, tel le manoir Sabrevois de Bleury (p. 100), une petite demeure ravissante qui, cependant, n'offrait guère d'affinités avec le style de l'époque au Québec. On doit sa destruction, il y a une quinzaine d'années, au zèle intempestif d'un service de l'État, lequel prétexta que des évadés du pénitencier de Saint-Vincent-de-Paul, situé tout près, pourraient s'y réfugier. Cette perte est irréparable.

En Nouvelle-France, on construisit nombre d'habitations vastes et imposantes. Je n'ai traité que des styles les plus courants, qu'on retrouve dans l'architecture des manoirs et des grandes demeures. Je recommande au lecteur l'excellent livre du professeur Ramsay Traquair, *The Old Architecture of Quebec,*[1] où il trouvera une description plus détaillée d'églises et de bâtiments de ville. Cependant, le professeur Traquair nous invite à ne pas oublier que les plus belles demeures se trouvent non pas dans les villes, mais à la campagne. Puissent-elles survivre longtemps encore!

Ce livre vise à éveiller l'intérêt du public pour ces charmantes demeures, dont on ne s'est pas soucié pendant si longtemps que des centaines d'entre elles ont été mutilées au-delà de toute réfection ou tout simplement rasées. Malheureusement, l'absence de ciment dans le mortier rend leur destruction facile, même quand il s'agit de murs de pierre très épais; et la tentation d'ajouter un étage, plutôt qu'une aile, est trop souvent irrésistible. Il semble tragique que l'astuce des inventeurs de la pierre artificielle et de la fausse brique soit telle que les constructeurs d'aujourd'hui utilisent des ersatz de matériaux, de préférence aux vrais.

Si vous partez à la recherche de ces maisons, ne vous attendez pas à les reconnaître d'après les illustrations qui suivent. Le plus souvent, elles ont subi des modifications qui les rendent méconnaissables — toits surélevés pour donner une pente plus douce, fenêtres à carreaux remplacées par un grand panneau de verre laminé, murs de pierre recouverts de « stucco », parfois même de « stucco-simili pierre » et, là où la vraie pierre est encore apparente, elle est souvent peinte. Rares sont les toits de bardeaux de bois ou de fer-blanc non peint, les deux ayant été généralement remplacés par des couvertures de bardeaux bitumés, et l'on a fait des ajouts sans penser à l'harmonie de l'ensemble. Passées de couleur, les maisons sont souvent recouvertes d'une peinture criarde dont la vulgarité est une insulte au charme des vieux murs. Parfois des murs francs ont même été recouverts d'un revêtement bitumé, simili-brique ou fausse pierre de taille.

Ce livre veut témoigner de la beauté de ces vieilles de-

---

1. Ce livre sera éventuellement traduit.

meures, non pas comme elles sont aujourd'hui, mais comme elles étaient naguère. Dans mes dessins, j'ai retiré quelques arbres pour qu'on voit mieux les habitations, et j'en ai ajouté ailleurs, ainsi que des buissons — peut-être là justement où il y en a déjà eu — par souci de rendre justice aux maisons.

Je crois devoir, pour finir, dire un mot des *habitants* de ces maisons. On dit de la véritable création architecturale qu'elle est un reflet de la personnalité du bâtisseur. Toutes ces maisons ont fière allure. Volumes équilibrés, toits pratiques, agencement harmonieux des fenêtres: en résumé, un ensemble audacieux et direct. Elles révèlent l'approche directe des choses et la hardiesse de leurs premiers habitants — des hommes et des femmes venus dans ce pays sauvage qu'était la Nouvelle-France avec le zèle du pionnier, la foi ancestrale, et la force née de la confiance en soi. Même abandonnés de la mère patrie, ils continuèrent à lutter contre les Indiens, contre les Anglais, et contre les éléments dont la pire manifestation était le redoutable hiver, incomparablement plus dur que tout ce qu'ils avaient connu en France.

Il est impensable qu'une telle architecture périsse par simple négligence. Il s'agit de la seule architecture véritablement canadienne.

Les maisons

La maison des Jésuites, Sillery, Québec

Il s'agit probablement de la plus vieille maison du Canada. Commencée en 1637, l'habitation passa au feu en juin 1657. Comme les murs de pierre étaient encore debout et en bon état, on en entreprit immédiatement la reconstruction. Face au Saint-Laurent, la façade de pierre symétrique encadre une porte centrale mise en valeur par une corniche d'inspiration classique, et des pilastres. Les pignons et les cheminées sont également de pierre, mais recouverts de planches à clins. La cheminée de l'aile, aussi revêtue de bois, s'élève le long de la cheminée principale. Ceux qui aiment les ouvrages en pierre déplorent qu'on les cache sous du bois, mais les premiers colons ne disposaient pas de ciment. Leur mortier, composé uniquement de sable et de chaux, n'était ni résistant ni imperméable. L'eau s'infiltrait dans le mortier, qui gelait, puis fendait — d'où le revêtement de bois, une protection contre la pluie. En 1924, la famille Dobell, propriétaire de la maison, en fit don à la Province.

Le manoir Dénéchaud,
Berthier-en-Bas

Cette maison, connue à l'origine sous le nom de manoir de Berthier, fut construite entre 1673 et 1708. Elle tenait son nom de son premier propriétaire, le capitaine Isaac Berthier (1638-1708) du régiment de l'Allier, cultivateur prospère et fort estimé dans la région. Le rez-de-chaussée est entièrement revêtu de planches verticales. Le toit et les pignons sont recouverts de bardeaux de bois, et la plupart des fenêtres conservent leurs petits carreaux d'origine. Sur le dessin, on voit l'arrière de la maison mais la façade est tout aussi pittoresque.

La maison Georges Larue,
Saint-Jean, île d'Orléans

Cette maison, construite par Jean Mourier entre 1678 et
1680, est coiffée du toit en pavillon qui venait de France.
Le perron-galerie, ajouté sans doute au XIXe siècle,
semble rehausser le charme du bâtiment. Les lucarnes
superposées sont petites et peu communes, mais les
fleurons aux extrémités du toit sont particuliers à
ce genre de maison.

La maison Villeneuve
(appelée aujourd'hui L'Heureux),
Charlesbourg

Huit générations de Villeneuve ont habité cette maison entre 1684 et 1927. Le toit en pavillon est du type le plus ancien, lequel comportait un larmier étroit. Les larmiers à l'avant et à l'arrière ont sans doute été élargis. Le perron-galerie a probablement été ajouté à la façade aux environs de 1900. Il y a maintenant trois lucarnes à l'arrière, mais il n'y en avait que deux à l'origine. Les toits des lucarnes, en croupe à l'époque de la construction, sont maintenant à pignon. Par ailleurs, on a remplacé les petits carreaux d'origine par des vitres plus grandes.

La maison Hurtubise,
Côte-Saint-Antoine,
Westmount

Ce dessin représente la maison dans sa forme primitive; sa construction date des environs de 1688. Par la suite, l'on a ajouté un perron-galerie et de nouvelles lucarnes. J'ai volontairement repoussé les arbres dont Westmount abonde, à l'arrière de la maison; les premiers colons abattaient habituellement les arbres près de leur maison, car ils attiraient la foudre et pouvaient servir d'écran aux Indiens. Quand la société Héritage canadien du Québec acquit l'habitation en 1960, elle était dans un état lamentable. Quatre des six cornières qui soutenaient les armatures latérales avaient été enlevées à diverses époques par la famille Hurtubise. Lors de la construction, les cheminées furent disposées d'un seul côté du faîte, afin de diminuer le risque d'un incendie se propageant le long de l'armature longitudinale qui s'étend d'un pignon à l'autre. Trois meurtrières ont été pratiquées dans le mur du sous-sol, du côté sud, au cas où les Indiens attaqueraient, et un mur épais de deux pieds le divise au centre. Du côté nord, on n'accédait au sous-sol, où les femmes et les enfants se réfugiaient en cas d'alerte, que par une trappe épaisse de sept pouces, située dans le plancher de la cuisine.

La ferme Saint-Gabriel, Pointe Saint-Charles, Montréal

Il s'agit sans doute du plus intéressant des bâtiments historiques ouverts au public dans la région montréalaise. Propriété, pendant plus de trois siècles, des religieuses de la Congrégation de Notre-Dame, la maison a été restaurée en 1967 dans le cadre du centenaire de la Confédération. Sous la direction de Jean Palardy, on a veillé à la garnir d'authentiques meubles d'époque. Elle est située, tout près du parc Marguerite-Bourgeoys, à l'est de l'extrémité nord du pont Champlain, en aval des rapides de Lachine.

La première construction élevée sur cet emplacement, une maison de ferme en bois achetée de François Le Ber en 1668, fut détruite par un incendie. Le corps du bâtiment actuel, autrefois un tiers moins long, fut construit en 1698, et les deux ailes, probablement en 1726 et 1728, après que la menace d'attaques indiennes eût presque disparu. Le corps du logis est coiffé d'un toit dont la charpente de bois est sans doute la plus frappante de cette région. Les larmiers s'élèvent très haut au-dessus de cette partie principale car la ferme, située à environ deux milles en dehors des murailles de Montréal, était particulièrement exposée aux assauts des Indiens. Ces derniers avaient l'habitude de mettre le feu aux larmiers avec des torches. Dans ce dessin, la porte est replacée au centre de la façade. Le clocheton était également au centre en 1698. C'est dans cette maison que Marguerite Bourgeoys hébergeait les *filles du Roy* jusqu'à leur mariage.

La maison Cléophas Girardin, Beauport

Cette esquisse de l'arrière de la maison démontre bien qu'un style asymétrique peut être tout à fait réussi si la construction est adaptée à un accident de terrain et si les lucarnes et les cheminées sont disposées de façon symétrique. La maison date d'avant 1700, le terrain avait été concédé à Michel Lecourt avant 1655. Le toit élevé donne à l'habitation un cachet bien particulier.

La maison Ovide Morency,
Sainte-Famille,
île d'Orléans

Cette maison fut probablement bâtie aux environs de 1700. Les troupes britanniques l'occupèrent en 1759. Son architecture démontre jusqu'à quel point une répartition fantaisiste des ouvertures du rez-de-chaussée peut être réussie si les lucarnes, elles, sont d'une exécution soignée et disposées symétriquement. La plupart des vieilles maisons de ferme de l'île sont dotées d'une cheminée de pierre placée au milieu du toit, quoique certains fermiers de la région ajoutaient parfois deux fausses cheminées à chaque extrémité.

Manoir de Baie-Saint-Paul

Cette majestueuse habitation, détruite par un incendie en 1926, datait de 1718, d'après l'inscription que l'on voyait autrefois au-dessus de la porte. Quelques mois avant sa destruction, des étudiants en architecture de l'Université McGill l'avaient photographiée et avaient relevé tous les détails de sa construction. Le manoir mesurait quatre-vingt-un pieds sur trente-deux pieds. Les murs s'élevaient à douze pieds, surmontés d'un toit de vingt-quatre pieds de hauteur. Cet immense toit, percé de trois modestes lucarnes, avait grand air. La disparition de ce manoir est une perte énorme pour la Province.

Une maison près de Trois-Rivières

Cette maison, sise au nord de la vieille route Montréal-Québec, se distingue par ses deux rangées de lucarnes et ses trois cheminées de pierre. Une fois de plus, on constate qu'il n'est pas nécessaire de placer un nombre égal de fenêtres de chaque côté de la porte quand les lucarnes du toit sont disposées de façon symétrique. La ligne accentuée du larmier très important permet d'éviter un alignement des ouvertures d'un étage à l'autre.

La maison Hébert, île d'Orléans

L'harmonie des lignes de cette maison est due en bonne partie au long toit qui recouvre non seulement le logement proprement dit, mais aussi la remise des voitures. La disposition symétrique des petites lucarnes dans le toit couvre-tout a permis de varier les ouvertures au rez-de-chaussée, sans nuire à l'harmonie de l'ensemble. L'original du dessin date de 1921. Le char à bœufs est un souvenir de l'époque, mais on voit toujours des bœufs de trait sur l'île.

Maison de pierre
à Saint-François,
île d'Orléans

La ligne architecturale de cette petite maison est parmi les plus harmonieuses qu'on puisse trouver au Québec, et illustre le plus ancien type de toit — en pente sans lucarnes, ni cornières, ni larmier galbé. À la différence des autres maisons à pignons, celle-ci est ornée d'épis aux extrémités du faîte. D'habitude, on n'en trouve que sur les toits en pavillon. La cheminée massive et le fenêtrage dans les pignons ont un charme tout particulier.

Le presbytère de Caughnawaga

C'est peut-être la plus ravissante maison construite au Canada sous le régime français. Édifiée en 1717, à usage d'habitation pour les prêtres de l'église attenante, on lui ajouta les ailes est et ouest en 1725, date à laquelle elle devint un fort. Environ quarante pour cent de la muraille d'origine du fort tient encore. Comme tous les vieux bâtiments du pays, celui-ci a subi de nombreuses modifications mais, en 1972, on entreprit de restaurer l'intérieur; la grande salle s'en trouva considérablement améliorée. On pense tout de suite à un manoir du nord de la France. Ceux qui le bâtirent, eux, pensaient surtout aux Indiens convertis au christianisme; il appartient maintenant, et voilà qui tombe à propos, au ministère des Affaires indiennes et du Nord. Ici, le presbytère est vu du sud. La propriété est bordée au nord par la voie maritime du Saint-Laurent.

Le manoir Mauvide-Genest,
Saint-Jean,
île d'Orléans

Cette maison, incontestablement la plus grande de l'île, fut construite par Jean Mauvide, probablement aux environs de 1734. Elle porte encore la marque des boulets de canon de la flotte anglaise commandée par l'amiral Saunders, quand Wolfe attaqua l'île en 1759. L'esquisse fait voir la maison comme elle devait sans doute se présenter quand le juge Pouliot entreprit de la restaurer en 1928. Les murs de pierre sont recouverts de « stucco » et les encadrements de fenêtres, de pierre de taille. Les fleurons aux extrémités du faîte sont d'un dessin plus raffiné que les épis ordinaires des maisons de ferme. Les encadrements des portes sont d'un classique tempéré, tout comme la corniche moulée sous le larmier. L'armature courbe des frontons des lucarnes rappelle la technique du colombage pierroté apporté de Normandie.

La maison Jean Blais
Sainte-Foy, près de Québec

Gouttières affaissées et faîte infléchi témoignent de l'ancienneté de cette maison, construite aux environs de 1747 et allongée de vingt pieds en 1792. Les fenêtres du bas montrent, sur l'esquisse, les vingt-quatre carreaux du régime français. Les lucarnes comptent vingt carreaux au lieu des seize qu'on voyait habituellement. Les murs sont revêtus de planches verticales. Notez que les toits des lucarnes sont en croupe, et non pas à pignon comme c'était la coutume. Le toit, en pavillon, était probablement orné d'épis simples aux extrémités du faîte, comme le voulait l'usage.

La maison Alphrediste Lamothe, Cap-Santé

L'on a modifié cette maison à un point tel qu'il serait impossible de la reconnaître d'après l'esquisse. Les deux grandes cheminées ont été retirées et on a ajouté une grande lucarne et un perron-galerie à colonnes sur la façade. Celle-ci a été recouverte de « stucco » carrelé pour imiter la pierre de taille. La longue pente ininterrompue du toit aigu et les murs des pignons en coupe-feu devaient donner fière allure à cette maison construite avant l'occupation anglaise.

La maison Wilfrid Langlais,
Kamouraska

Cette maison fut construite vers 1750 et détruite en partie
au cours de la guerre de 1759. L'habitation comporte
deux corps de logis symétriques sur la façade sud,
à l'exception d'une lucarne. La façade arrière, que l'on
voit ici, également symétrique, sauf pour la fenêtre
à l'extrémité est, tire une certaine importance du fait
d'être érigée sur un tertre. À l'avant et à l'arrière, les murs
de pierre ont été recouverts de « stucco » et les murs
des pignons, de planches à clins.

La maison Ernest Poulin,
Giffard

C'est une maison de bois, à deux corps de logis, coiffée de l'ancien toit en pavillon aux larmiers étroits. Les châssis des fenêtres à vingt-quatre carreaux ont été remplacés par des châssis à six carreaux comme cela se faisait souvent. Les massives cheminées de pierre donnent un air hospitalier à cette longue et noble habitation. Le caveau à légumes, dont la façade est de pierre, surgit d'un monticule, ce qui est rare car ordinairement les caveaux étaient recouverts de terre.

**La Chaumière,
Boucherville**

Cette chaumière, l'une des dépendances du domaine de Pierre Boucher, fut construite en 1760. De tout l'album, c'est la seule maison qui offre ces détails: un œil-de-bœuf, des lucarnes pourvues de volets, une porte percée dans le mur du pignon au rez-de-chaussée. La masse de la construction, quoique inhabituelle, est agréable. Remarquez les cinq petits disques par lesquels les murs de pierre sont assujettis aux entraits intérieurs. Du côté du mur latéral existait autrefois une large plate-forme. L'original du dessin date de 1928.

La maison Trestler, Dorion

Cette maison fut construite en trois étapes par Jean-Joseph Trestler. Bien que celui-ci fût d'origine allemande, l'architecture est canadienne-française. Le corps du bâtiment date de 1798, l'aile ouest de 1805, et l'aile est de 1806. Gustave Rainville, propriétaire de la maison durant un certain temps, y fit des modifications, dont quelques-unes — même si toutes témoignent d'un goût sûr — s'écartent du style traditionnel. À l'extérieur, le bâtiment mesure 139 pieds sur 40 pieds. Il compte de nombreuses lucarnes et de très grandes cheminées. Apparemment, Trestler s'occupait de commerce des fourrures avec les Indiens qui passaient devant la maison en descendant l'Outaouais jusqu'à Montréal car, au rez-de-chaussée, se trouve une voûte de pierre de trente-six pieds sur vingt-quatre pieds servant d'entrepôt. On y voit encore de nombreux crochets de fer auxquels on suspendait les peaux. Les volets de fer d'origine, d'un type naguère courant dans les maisons et les boutiques de Montréal, existent toujours. Une bonne partie des fenêtres ont conservé leurs petits carreaux, et bon nombre de cheminées leur linteau de pierre de taille, l'âtre de pierre, et leurs tuyaux qui vont en se rétrécissant. Voici l'extrémité est de la maison, vue du nord.

La maison Adélard Roy,
Giffard

Le dessin montre l'arrière de la maison qui, à l'encontre de la façade, ne témoigne d'aucun souci de symétrie. L'équilibre est pour le moins inattendu, et l'effet ravissant; l'ensemble se rapproche plus du style campagnard anglais que de la maison québécoise. Construite aux environs de 1800, la maison, néanmoins, relève d'un style d'architecture plus ancien, comme le prouve la ligne du toit en pavillon. Les changements qu'on a récemment apportés à la façade ne sont pas particulièrement heureux.

La maison Jean Vézina, Boischâtel

Dans la famille Vézina, une légende veut que cette maison de pierre ait servi de quartier général à Wolfe en 1759. Elle se distingue des autres habitations de la région en ce qu'elle n'a qu'une cheminée à l'extrémité du faîte. On voit le plus souvent deux cheminées, ou encore une vraie cheminée de pierre et deux fausses cheminées de bois au-dessus des murs latéraux. On pratiquait souvent une petite fenêtre carrée dans la laiterie, comme celle qu'on voit ici. On allongea la maison il y a environ soixante-quinze ans.

La maison Alexandre Gendreau,
Saint-Laurent, île d'Orléans

Cette maison marque un tournant architectural. Les premiers toits étaient des toits en pavillon dont les versants latéraux accusaient une pente plus forte qu'à l'avant et à l'arrière. Dans le cas de cette maison et de quelques autres, la pente latérale est accentuée au point de rejoindre la verticale et forme, en fait, un pignon. Ces pignons de bardeaux sont percés de lucarnes dont la saillie est si faible qu'on les croirait dessinées. Les fronteaux tourmentés sont assez imprévus et furent probablement ajoutés en même temps qu'on remplaçait les six petits carreaux de chaque battant des fenêtres par trois carreaux plus grands.

La maison Julien Gendreau,
Saint-Laurent, île d'Orléans

Il s'agit d'une très ancienne maison à toit en pavillon recouvert de fer-blanc et orné d'épis ordinaires. Chose rare pour une maison de dimensions aussi modestes: deux rangées de lucarnes. Les toits plats des lucarnes supérieures laissent croire qu'elles furent ajoutées, comme toutes les lucarnes des premières habitations d'ailleurs: le grenier restait d'ordinaire inhabité jusqu'à ce que l'accroissement de la famille exigeât d'autres chambres à coucher, donc plus de fenêtres. Le fer-blanc était une tôle laminée légèrement étamée; on aboutait ces feuilles en biais pour faciliter l'écoulement des eaux du toit. La légende veut qu'on aplatissait le métal qui tapissait les caisses de thé ou de bœuf de conserve. Légèrement rouillé, il brillait comme de l'or. La plupart de ces toits ont été peints par la suite.

La maison Ulric Drouin,
Sainte-Famille, île d'Orléans

Voici une toute petite maison mais celui qui l'a bâtie l'a
voulue belle. Dans la plupart des maisons à pignons
et à toits aigus, on utilisa des chevrons droits. Quelquefois,
on ajoutait des pièces de bois incurvées au bas du
toit pour obtenir un arrondi de quatre ou cinq pieds. La
courbure de ce toit, cependant, s'étend presque de
haut en bas — on s'imagine ce qu'il a fallu menuiser!
Comme bien des maisons de l'île, celle-ci a deux fausses
cheminées aux extrémités du toit. Seule la cheminée
du milieu est de pierre. Les lucarnes ont des toits
en croupe, à l'ancienne, et les bardeaux sous leur larmier
sont triangulaires, un procédé de décoration particulier
aux plus vieilles maisons.

Le manoir de Belle-Rivière,
près de Sainte-Scholastique

Cette maison aux lignes symétriques a beaucoup de noblesse. Les proportions harmonieuses des portes et fenêtres par rapport au toit et aux murs, les deux cheminées massives, les lucarnes délicates et les grands larmiers galbés en font un bijou architectural. Clarence Gagnon, R.C.A., qui s'y connaissait en vieilles maisons et coutumes canadiennes-françaises, la considérait comme la plus belle maison du genre. Un bouquet d'érables — omis sur l'esquisse — rend la maison quasi invisible, sauf en hiver. Le moulin seigneurial, tout près, sur la rivière, est depuis longtemps tombé en ruines.

La maison Samuel Germain,
Cap-Santé

Ce bâtiment, même dépouillé des châssis de ses fenêtres et de ses portes, illustre le « charme impeccable » des lignes vraiment harmonieuses, charme qui subsiste même quand il s'agit d'une ruine. Les rapports longueur-largeur, espaces vides et pleins, surface du toit-surface des murs, tout exprime la force et l'assurance, la simplicité et la justesse.

La maison André Morency,
Sainte-Famille, île d'Orléans

Voici l'une des longues maisons qui abritaient la remise à voitures sous un toit commun. La porte de la remise est encadrée de quatre amusantes petites fenêtres carrées. Une fois de plus, les lucarnes sont disposées symétriquement, ce qui confère un caractère ordonné à l'ensemble. Les cheminées des bouts sont fausses, elles étaient là tout simplement pour montrer qu'on était des gens bien. Les petits carreaux des fenêtres, six en hauteur au rez-de-chaussée et cinq en hauteur à l'étage, sont d'origine. Le verre de ces carreaux n'est pas transparent et est légèrement bombé par le moule dans lequel il était soufflé.

La maison Philippe Bouchard,
Sainte-Anne-de-Beaupré

Cette longue maison de fier aspect fut bâtie par la famille Paré, dont plusieurs générations l'habitèrent. La saillie du toit au-dessus des murs latéraux est exceptionnellement forte, sans doute pour projeter la même ombre profonde que le larmier, ombre tant admirée des peintres. Les cheminées, sur le modèle des maisons de Québec, aux extrémités du faîte, sont fausses — mais ici, elles semblent à leur place. Les fenêtres largement espacées et la porte classique plutôt cossue, disposées dans le mur blanc, rappellent des pays plus cléments. Les vastes fenêtres, qui laissent entrer le froid, l'hiver, et la chaleur, l'été, ne conviennent évidemment pas au climat canadien.

La maison Joseph Cartier,
Saint-Antoine-sur-Richelieu

Cette immense maison fut construite par l'oncle de
Sir Georges-Etienne Cartier, entre 1779 et 1782. Elle
a depuis subi plusieurs modifications, mais elle conserve
toujours son caractère de dignité. Bien qu'éloignée
de la ville et du danger d'incendie qui menaçait les
maisons qui se touchaient, elle est pourvue d'épais
coupe-feu de pierre, peut-être dans le but de
rehausser encore son grand air imposant.

La maison Jacques Cartier,
Saint-Antoine-sur-Richelieu

Cette maison, où naquit Sir Georges-Etienne Cartier, l'un des pères de la Confédération, fut détruite par le feu en 1906. Elle pouvait abriter plus d'une famille et le perron-galerie qui longe toute la façade encourageait la vie sociale. La porte percée à l'étage, dans le mur latéral, laisse perplexe. Peut-être avait-on l'intention de construire un petit balcon, à l'usage d'un invalide confiné à l'étage, mais tout en resta là. Les deux cheminées dans chaque pignon, plus souvent réunies en une seule masse de pierre, comme tel est le cas pour la maison Joseph Cartier située dans le même village, sont ici séparées. La maison fut construite aux environs de 1780.

La maison Beauchemin,
Rang de la Picardie, Varennes

Plusieurs maisons de la région qui s'étend de Montréal à Sorel sont dotées de ces larges cheminées, aussi accueillantes que monumentales d'aspect. C'est probablement le détail le plus caractéristique des vieilles maisons québécoises. Les conduits des cheminées rétrécissent vers le haut, à la différence de ceux d'aujourd'hui, qui ont le même calibre tout le long. L'effet de symétrie de la façade est obtenu par l'agencement étudié des lucarnes et des poteaux du perron-galerie. La porte d'entrée n'est pas vraiment centrée. À remarquer aussi, la porte à l'étage dans le mur de côté. Devait-elle s'ouvrir sur un petit balcon, ou sur une poutre armée d'une poulie pour monter le grain, on ne saurait dire. Dans nombre de maisons de ferme, l'étage a servi d'entrepôt avant d'être converti en chambres à coucher au besoin. Certains plaisantins qualifient cette ouverture de « porte de la belle-mère », pour des raisons moqueuses évidentes.

Une maison
à Jeune Lorette

Cette maison est du style de la « vallée de l'Outaouais » :
toit en croupe, inclinaison uniforme des quatre
versants et perron-galerie sur trois ou quatre côtés. On
retrouve ce style d'architecture souvent loin de la
vallée de l'Outaouais, même aussi au sud qu'à Saint-Louis
dans le Missouri. Les lucarnes sont rares dans de
telles maisons, car les greniers étaient bas de plafond.
On n'ajouta guère de perron-galerie avant 1800.

L'hôtel Grove,
Beaconsfield

Cet édifice fut construit en 1810 par Paul-Urgèle Valois,
descendant de Jean-Baptiste Valois, qui fonda le
village de Valois, en 1723. Il est situé sur le lac Saint-Louis,
sur la route qui reliait autrefois Montréal à Toronto.
La façade est de pierre de taille, les autres murs
en moellons. Les quatre lucarnes sont groupées, deux
par deux. Située à l'extrémité est, la cuisine, presque
octogonale, ce qui est rare, a un cachet particulier.
La maison est devenue un yacht-club.

La maison Pouliot,
avenue Royale,
Saint-Laurent, île d'Orléans

Cette maison solide, aux lignes harmonieuses, est maintenant recouverte de planches de revêtement blanches et le toit et les lucarnes, de métal laminé. On dit qu'elle a été construite pièce sur pièce, c'est-à-dire en troncs d'arbres équarris, posés les uns sur les autres et assemblés à queue d'aronde. L'esquisse montre la maison probablement telle qu'elle devait être. Les propriétaires actuels croient que la maison date d'environ 1800, mais, vu qu'il y a une autre maison Pouliot, plus grande, au haut de la côte, construite en 1667 par Samuel Pouliot, et que la famille Pouliot est établie à Saint-Laurent depuis plus de 300 ans, il se peut que la maison soit plus ancienne qu'on ne le pense. Les dimensions des pièces de charpente de ces vieilles maisons font l'envie de bien des constructeurs modernes. Les poutres maîtresses mesurent trente pieds de long, et les planches de pin du plancher de l'étage ont dix-huit pouces de largeur. Les fondations de pierre ont des murs de trois pieds d'épaisseur. Le revêtement de planches, qui date de 1948, ne permet pas d'établir laquelle des trois méthodes de construction pièce sur pièce fut utilisée. La plus grande partie des vitres d'origine — bombées par le moule — sont encore en place.

Le moulin des Jésuites,
La Prairie

Ce bâtiment aux murs latéraux d'une grande étendue, détruit au début du siècle, servait à la fois de moulin et d'habitation. Quand il y a deux cheminées de même taille dans le mur du pignon des maisons du Canada français, elles sont, habituellement, réunies dans les mêmes parois, bien que la masse qui en résulte atteigne parfois plus de trente pieds de largeur, comme tel est le cas du château de Ramezay. Dans ce bâtiment, strictement utilitaire, elles demeurent séparées.

La maison Lebeuf ou Charest,
Sainte-Anne-de-la-Pérade

Cette maison imposante fut construite en 1818, mais on y voit les petits carreaux des maisons plus anciennes. La façade et les murs de côté offrent la même symétrie et les lucarnes sont bien disposées dans le toit immense. La maison est pourvue de coupe-feu, moyen de parer au danger d'incendie dans les villes. Lorsque ces coupe-feu, comme c'est le cas ici, apparaissent à la campagne, où les maisons sont pourtant éloignées les unes des autres, on peut juger de l'admiration du constructeur pour les choses de la ville. Les grandes esses en fer forgé dans les murs latéraux servent à fixer le mur de pierre à la sablière des chevrons.

La maison Désilets,
Bécancour

Cette maison fut bâtie en 1821 par un prêtre, l'abbé
de la Blouterie. La toiture est fortement galbée
et très belle, et tous les détails — largeur des cheminées,
emplacement étudié des lucarnes, fenêtrage
impeccable, treillage délicat du perron-galerie — font de
cette maison une réussite architecturale rare.

Le manoir de Bleury,
Saint-Vincent-de-Paul

Il ne s'agit point ici d'une maison typique du Canada
français. Elle se réclamait du classicisme anglais
de deux architectes d'origine écossaise, les frères Adam.
C'était un ravissant pavillon d'un étage, en pierre
de taille et bois, de masse imposante mais délicate dans
les détails. Malheureusement inhabitée, le gouvernement
fédéral, ayant jugé qu'elle risquait d'abriter des
évadés du pénitencier tout proche, la fit démolir. La perte
est irréparable.

La maison Chapais,
Rivière-Ouelle,
près de Sainte-Anne-de-la-Pocatière

Thomas Chapais, frère de l'honorable Jean-Charles Chapais, l'un des pères de la Confédération, construisit cette maison vers 1840. Le soffite (dessous) du larmier est incurvé pour s'unir au mur, dans le style de la Gaspésie, et étaye élégamment le toit galbé. Les proportions parfaites, le fenêtrage d'une symétrie irréprochable, les carreaux d'origine, font de cette demeure un mélange des meilleurs éléments de l'architecture canadienne-française et du style colonial anglais.

La maison Edgar Poiré,
Beaumont

Cette maison construite vers 1830 est un retour au
premier type de la maison québécoise — le toit en pavillon
au larmier étroit. Il s'agit donc d'un heureux choix
mené à bien et basé sur la tradition. La façade offre une
parfaite symétrie à l'exception de la cheminée qui
n'est pas centrée, l'emplacement des foyers rendant la
chose impossible. Les fenêtres bien ordonnées encadrent
une porte centrale surmontée d'un fronton et créent
de grands espaces libres de chaque côté; ce genre de
maison est vraiment l'un des plus réussis de la Province.
La laiterie, en pierre, à droite, est également charmante.

La maison Bouthillier, Anse-au-Griffon

Les planches à clins de cette maison, incurvées au haut, donnent le galbe du larmier, répété dans le toit. Les murs latéraux en retirent un élément de grâce charmant. Le travail qu'exigent de tels raffinements ne faisait pas peur aux fermiers d'antan qui y consacraient un temps précieux. Il existe quelques autres exemples de larmier cintré: le manoir Chenest à Cap-Saint-Ignace, construit en 1820 (voir *l'Encyclopédie de la maison québécoise,* p. 308) et la maison Chapais à Rivière-Ouelle, 1840 (page 102 de cet ouvrage).

Maison située près de la Côte-Vertu,
Montréal

Ne rien connaître de l'histoire de cette maison — une de
celles qui se trouvaient naguère le long du chemin
de la Côte-Vertu — c'est le prix du « progrès ». Sa masse
splendide, ses cheminées monumentales et son
magnifique toit aux lignes ininterrompues, sont des
éléments architecturaux qui méritent d'être signalés.
L'esquisse date de 1928.

Le moulin seigneurial Laterrière, Les Éboulements

Ce moulin, que fréquentent toujours les fermiers de la région, est parmi les plus pittoresques de la Province. Comme dans la plupart des moulins anciens, les quartiers d'habitation du meunier se trouvent à l'étage. L'énorme roue du moulin donne un excellent rendement car il faut se rendre compte qu'il y a une dénivellation considérable entre le bief d'amont et celui d'aval; en fait, le mur arrière est haut de quatre ou cinq étages. Un tremblement de terre endommagea sérieusement ce mur au siècle dernier: sous son effet, un bon nombre de pierres se fendirent. La société Héritage canadien du Québec, à qui appartient le bâtiment, a dû entreprendre des travaux de restauration considérables pour l'empêcher de s'écrouler.

Le moulin Monk,
Sainte-Thérèse

En compagnie de Clarence Gagnon, je me rappelle avoir visité, en 1939, ce moulin situé sur la route principale reliant alors Montréal aux Laurentides. Gagnon me fit remarquer la machine à meuler — entière, y compris les roues d'engrenage en bois dur — qu'il regardait fonctionner, petit garçon. Le bâtiment rectangulaire mesurait trente-deux pieds sur quarante-deux pieds. L'eau de la rivière aux Chiens actionnait la machinerie du moulin, et ce jusqu'à l'introduction de l'électricité. Construit aux environs de 1816 par le seigneur du temps, Monsieur Monk, il fut démoli vers 1946.

La maison du docteur Charlebois, Vaudreuil

Le docteur Basile Charlebois, originaire de Vaudreuil, construisit cette maison vers 1820. Il avait fait ses études de médecine à Montréal et à Philadelphie, et pratiqua sa profession à Vaudreuil de 1817 jusqu'en 1839, date où il s'en fut vivre à Montréal. Par la suite, les Jésuites habitèrent cette maison, puis les Sœurs du Bon Conseil. Située sur le lac des Deux Montagnes, c'est maintenant le Club Nautique. L'édifice est doté d'une belle façade en pierre de taille, marbre, granit, grès et moulière, de couleurs différentes, aux bords biseautés. Le temps a dégradé quelques-unes de ces pierres. Les corbeaux de pierre des coupe-feu sont de bon goût. Le toit, sur l'aplomb, revêtu de fer-blanc, se prolonge jusqu'au-dessus du perron-galerie sur le côté sud. Une remise basse en pierre est rattachée à la maison, à l'arrière. La cuisine de bois, à l'extrémité est, fut de tout évidence ajoutée plus tard, car son toit coupe l'encadrement de pierre des fenêtres de l'étage. Les fenêtres de la cuisine, ainsi que celles du corps de logis, renferment encore des carreaux en verre bombé, ce qui laisse croire qu'elles se trouvaient à l'origine dans le mur du pignon est. Le perron-galerie est postérieur aux coupe-feu, et son toit était distinct de celui du corps de logis, commençant sous le larmier de celui-ci. Ici, le toit de la galerie et celui de la maison semblent avoir été construits d'une seule venue.

La maison Turcot,
Sillery

Construite en 1845 et connue sous le nom de maison Turcot, cette habitation est un exemple élégant du style dit de la « vallée de l'Outaouais ». La vogue des perrons-galeries venue du sud à la fin du XVIIIe siècle eut une influence sur le développement de ce style. On en entourait parfois les maisons sur trois côtés. Le résultat de cette innovation: un toit rectangulaire à pente faible qu'il fallut poser en croupe. L'élégance de la charpente de soutien du toit, disposée en treillis, l'harmonieuse symétrie des cheminées et des fenêtres, l'ombre profonde que jettent les larges toits des perrons-galeries, autant d'agréments qui rehaussent le charme de ce style.

Une maison sur
la vieille route Montréal-Québec

Cette esquisse, faite en 1948, montre l'arrière de la
maison. La route, plus ancienne encore que la maison,
passait probablement devant, du côté sud. Les
toits très simples, construits avant qu'apparaissent les
lucarnes, ajoutent à l'harmonie imposante des volumes et
des cheminées. Dans les plus anciennes maisons,
on plaçait fréquemment des échelles sur le toit près des
cheminées, en cas d'incendie, car un feu continu
dans le foyer ou le poêle pouvait embraser le toit de bois.
Cette échelle qui s'élance d'un seul jet, du sol au faîte,
est rare.

La maison Simon Fraser, Sainte-Anne-de-Bellevue

Cette maison ne fut pas construite par Simon Fraser mais achetée par ce dernier quand la sienne, située tout près sur le lac des Deux Montagnes, fut détruite par le feu, aux environs de 1812. Homme important du commerce de la fourrure, il tenait à vivre près des rapides à Sainte-Anne afin de surveiller les canoës chargés de peaux et les autres embarcations qui descendaient la rivière Outaouais en route vers Montréal. (Il ne s'agit pas du Simon Fraser qui découvrit la rivière Fraser en Colombie britannique). La maison fut probablement construite en 1800, et la légende veut que le poète irlandais Thomas Moore écrivit *The Canadian Boat Song* alors qu'il y séjournait. La description qu'il en fait témoigne pour le moins d'une bonne connaissance des lieux.

L'esquisse, faite à partir d'une photographie ancienne, représente la maison telle qu'elle était il y a près d'un siècle environ alors que les pignons à coupe-feu, la galerie est, et les trois lucarnes étaient encore en place. Par la suite, on enleva les lucarnes d'origine et on perça quatre lucarnes d'inspiration victorienne dans le toit. Le perron sud fut probablement ajouté au moment où le style néo-gothique était à la mode en Angleterre. En fait, le plan de la maison était d'origine anglaise avec son hall central où donnait l'escalier. L'escalier actuel niche dans le coin nord-ouest, où il a peut-être été placé quand la maison abritait une banque, de 1906 à 1952. La société Héritage canadien du Québec acheta et restaura partiellement la maison en 1966; des foyers, des avances de fenêtres et une armoire encastrée dans le mur, depuis longtemps oubliés, furent retrouvés. La charpente du toit, en poutres équarries, relève de la tradition canadienne-française, tout comme la toiture en fer-blanc, qui est toujours en place sous les bardeaux bitumés. Le rez-de-chaussée, converti en restaurant dirigé par les auxiliaires du Victorian Order of Nurses, rappelle tout un passé.

Index

Les Cahiers du Québec

Cahiers du Québec Parus

1 Champ Libre 1:
Cinéma, Idéologie, Politique
(en collaboration)

2 Champ Libre 2:
La critique en question
(en collaboration)

3 Joseph Marmette
Le Chevalier de Mornac
présentation par Madeleine Ducrocq-Poirier

4 Patrice Lacombe
La terre paternelle
présentation par André Vanasse

5 Fernand Ouellet
Éléments d'histoire sociale du Bas-Canada

6 Claude Racine
L'anticléricalisme dans le roman québécois 1940-1965

7 *Ethnologie québécoise 1*
(en collaboration)

8 Pamphile Le May
Picounoc le Maudit
présentation par Anne Gagnon

9 Yvan Lamonde
Historiographie de la philosophie au Québec 1853-1971

10 *L'homme et l'hiver en Nouvelle-France*
présentation par Pierre Carle et Jean-Louis Minel

11 *Culture et Langage*
(en collaboration)

12 Conrad Laforte
La chanson folklorique et les écrivains du XIXe siècle en France et au Québec

13 *L'Hôtel-Dieu de Montréal*
(en collaboration)

14 Georges Boucher de Boucherville
Une de perdue, deux de trouvées
présentation par Réginald Hamel

15 John R. Porter et Léopold Désy
Calvaires et croix de chemins du Québec

16 Maurice Emond
Yves Thériault et le combat de l'homme

17 Jean-Louis Roy
Édouard-Raymond Fabre, libraire et patriote canadien 1799-1854

18 Louis-Edmond Hamelin
Nordicité canadienne

19 J. P. Tardivel
Pour la patrie
présentation par John Hare

20 Richard Chabot
Le curé de campagne et la contestation locale au Québec de 1791 aux troubles de 1837-38

21 Roland Brunet
Une école sans diplôme pour une éducation permanente

22 *Le processus électoral au Québec*
(en collaboration)

23 *Partis politiques au Québec*
(en collaboration)

24 Raymond Montpetit
Comment parler de la littérature

25 A. Gérin-Lajoie
Jean Rivard le défricheur
suivi de
Jean Rivard économiste
Postface de René Dionne

26 Arsène Bessette
Le Débutant
postface de Madeleine Ducrocq-Poirier

27 Gabriel Sagard
Le grand voyage du pays des Hurons
présentation par Marcel Trudel

28 Véra Murray
Le Parti québécois

29 André Bernard
Québec: élections 1976

30 Yves Dostaler
Les infortunes du roman dans le Québec du XIXe siècle

31 Rossel Vien
Radio française dans l'ouest

32 Jacques Cartier
Voyages en Nouvelle-France
Texte remis en français moderne par Robert Lahaise et Marie Couturier avec introduction et notes

33 Jean-Pierre Boucher
Instantanés de la condition québécoise

34 Denis Bouchard
Une lecture d'Anne Hébert

par/by ATELIERS DES SOURDS (Montréal) Inc.
85 ouest, rue DeCASTELNAU · MONTRÉAL H2R 2W3